folio cadet ▪ premières lectures

Pour Charlie

Traduit de l'anglais par Valérie Latour-Burney
Maquette : Clément Chassagnard

ISBN : 978-2-07-066880-9
Titre original : *The Dragon's Dentist*
Publié par Orion Children's Books, Londres
© John McLay 2014, pour le texte
© Martin Brown 2014, pour les illustrations
Tous droits réservés.
© Gallimard Jeunesse 2015 pour la traduction
N° d'édition : 288822
Loi n° 49-956 du 16 juillet 1949 sur les publications destinées à la jeunesse
Dépôt légal : novembre 2015
Imprimé en France par IME

IMPRIM'VERT

PEFC
10-31-1893
Certifié PEFC
Ce produit est issu
de forêts gérées
durablement et de
sources contrôlées.
pefc-france.org

Tristan
chevalier débutant
La dent du dragon

John McLay • Martin Brown

GALLIMARD JEUNESSE

1

Tristan rêve de chevaliers.

Son père est un chevalier célèbre.
Son grand frère aussi est chevalier.
Et même sa sœur.

– Je ne suis même pas sur la liste d'attente des futurs chevaliers, dit Tristan à Avoine, son cheval.

Avoine est plutôt gros. Il adore manger de l'avoine, beaucoup d'avoine.

Tristan est responsable de l'entretien des boucliers. Il doit les nettoyer au cas où il y aurait une bataille...

... ou un combat contre des dragons.

– Je suis très doué en nettoyage de boucliers, tu sais, Avoine, lui dit Tristan, mais je veux devenir chevalier.

Tristan se demande s'il est trop petit pour devenir chevalier. Beaucoup de filles sont plus grandes que lui.

Même Avoine est plus grand. Et un peu plus gros aussi. Assurément, Tristan est le plus petit de la famille.

– Pourquoi je ne serais pas chevalier,
Avoine ? demande Tristan. Je suis
courageux.

Je suis intelligent.

Je suis fort.

Je suis même doué avec les animaux.

Tristan est malheureux.

2

Un matin, Tristan nettoie les boucliers
après une bataille très boueuse.

Il décide de prouver qu'il peut être un grand chevalier. Il décide de capturer Éric.

Éric le Viking qui pille les châteaux et vole leur or ?

NON.

Éric l'enchanteur qui transforme les chevaliers en arbres ?

NON.

Pas Éric le dragon centenaire cracheur de feu, le cauchemar de tous les chevaliers... quand même !?

Eh bien, si. Cet Éric-là ! Éric le dragon.

Il est immense.

Il est dangereux.

Il est toujours de mauvais poil.

– Ça devrait marcher, dit Tristan. Je deviendrai sûrement chevalier si je capture Éric !

Avoine pousse un hennissement.

Tristan prépare son sac. Il y met tout le nécessaire pour remplir sa mission. Il prend un pique-nique. Et de l'avoine. Il faut bien qu'Avoine mange, lui aussi.

Il prend de la corde pour ligoter Éric.
Et il emprunte le bouclier de sa sœur.

Ça pourrait lui être utile si jamais Éric
se met à cracher des flammes.

Sa sœur n'en aura pas besoin. Enfin, pas trop.

3

Tristan et Avoine partent pour capturer le dragon.

Sauf que Tristan ne sait pas vraiment où se trouve la caverne d'Éric.

Il demande son chemin à un homme.
— La caverne d'Éric le Viking ? Ou celle d'Éric l'enchanteur ? l'interroge l'homme.
— Éric le dragon, répond Tristan.

L'homme est sous le choc.

– Éric le dragon ? Tu es sûr ? Il est toujours de mauvais poil. Surtout avant de manger.

– Je vais le capturer pour que mon père me fasse chevalier, explique Tristan.

– Très bonne idée, dit l'homme.

Il lui montre une colline toute proche.

– Une fois arrivé au vieux chêne, tourne à gauche.

– Merci, monsieur. Vous êtes bien aimable, répond Tristan.

Bientôt, Tristan aperçoit la caverne d'Éric.

Caché derrière le bouclier de sa sœur, Tristan crie à travers la caverne :

– Hé, Éric! Monsieur le dragon! Sors!
Je suis venu te capturer!

– Vraiment? Et comment tu comptes
t'y prendre?

Tristan se retourne d'un coup.

Derrière lui se tient
un très grand dragon.

Avoine s'évanouit.

Tristan a peur, mais il sait qu'il doit être courageux. Courageux comme un chevalier.

– Je suis Tristan, chevalier débutant.
Suis-moi ou je vais devoir te ligoter.

Soudain, on entend un énorme gargouillis. C'est Éric qui éclate de rire !

Puis il s'arrête net.

– Ouille ! gémit-il.

Tristan regarde Avoine.
Avoine regarde Tristan.

– Qu'est-ce qu'il y a, Éric ? demande Tristan.

– C'est ma dent, répond le dragon. J'ai très mal.

Éric ouvre grand la bouche. Ses dents sont immenses et pointues. L'une d'elles est toute noire.

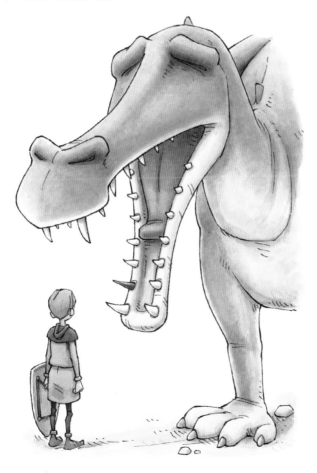

– Ça fait mal? demande Tristan.

– Oui! dit Éric. Mais je ne sais pas pourquoi je te raconte ça. Je vais te manger.

Tristan sort sa corde.

– Je peux peut-être t'aider.

– Toi ? M'aider ?
Et Éric se remet à rire.

Puis il fait une
drôle de grimace.
– Aïe ! Ouille !
Ça fait très,
très mal.

– On peut te l'arracher, propose Tristan. (Le dragon regarde Tristan.) Il vaut mieux s'en débarrasser, insiste Tristan en souriant.

– Bon, d'accord, accepte le dragon. Tu peux m'aider. Mais c'est la première et la dernière fois. (Tristan sourit de toutes ses dents.) Et après, je te mange, ajoute Éric.

5

Tristan noue la corde autour de la
dent douloureuse.

– Ne bouge pas, dit Tristan. Tu ne sentiras rien du tout.

Avoine tire sur la corde.

– GAGNÉ ! s'écrie Tristan.

– PFIOU ! souffle
Avoine en s'écrasant
la tête la première.

– AÏÏÏÏÏÏÏÏÏÏÏÏEUUUUH ! hurle Éric.

– Désolé, dit Tristan. Mais tu vas te sentir mieux.

Éric se frotte la mâchoire.

– Mmmm, tu as raison, ça va mieux.

– J'imagine que tu veux que je te laisse partir maintenant, dit Éric.

– Non, je veux que tu te laisses capturer, répond Tristan.

– Bon, c'est vrai que tu m'as aidé, reconnaît Éric. C'est parce que j'avais mal à la dent que j'étais tout le temps de mauvaise humeur.

– Alors tu veux bien venir avec moi et dire à tout le monde que je suis très courageux?

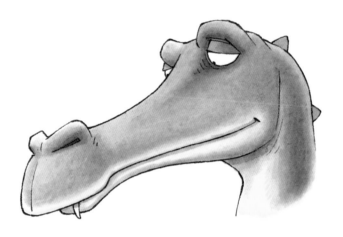

Éric sourit.
Enfin, il donne l'impression de sourire.

– Je peux faire encore mieux que ça.
Je peux vous ramener au château sur
mon dos, dit Éric. Ça aura de l'allure.

Pour Tristan, c'est la plus belle chevauchée de sa vie.

6

Le père de Tristan accroche un parchemin sur la porte.

Tristan est content. Son nom est tout en haut de la liste des futurs chevaliers.

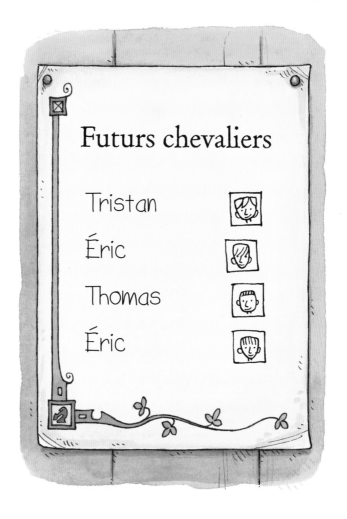

– Tristan, je suis tellement fière de toi ! lui dit sa maman.

– Bien joué, minus, ajoute son frère. Ça fait des années qu'on essaie d'empêcher Éric de manger des chevaliers.

– Où est mon bouclier? demande sa sœur.

– J'allais justement te le nettoyer, sœurette, répond Tristan.

Et il file à toute vitesse.

Tristan s'assoit et prend le bouclier de sa sœur.

– Au boulot, Avoine ! dit-il en souriant.

- Je serai bientôt chevalier, l'ami. Et avec ma dent de dragon comme épée, je serai bien équipé !

Avoine, le cheval du chevalier débutant, hennit bruyamment.

→ je lis tout seul

Pour les jeunes apprentis lecteurs
Niveau 2

Chrysanthème
à l'école

Panique dans
le potager

Mamie est une sacrée
momie

Sept bougies pour
Lili Graffiti

Le match de foot

Le Roi CraCra

Hors-série

*Comment j'ai adopté
mon humain*

Retrouve l'intégralité de la collection
folio cadet ▪ premières lectures
sur www.gallimard-jeunesse.fr !